C'est moi  qui lis

Loretta
et la
petite Fée

Une histoire de Gerda Marie Scheidl
illustrée par Christa Unzner
et traduite par Agnès Inhauser

Éditions Nord-Sud

Table des matières

Une vraie fée?   7

La soupe de grand-père   19

Loretta a encore une idée   21

Monsieur Beausoleil   26

Le meilleur gâteau du monde   30

Loretta est très en colère   43

Marie n'est plus seule   52

Petite fée deviendra grande   56

Une vraie fée?

Loretta aimait beaucoup jouer
dans le jardin. Sa place préférée,
c'était un petit banc derrière le mûrier.
Elle posa sa poupée Annabelle
sur le banc et s'assit à côté d'elle.
«Aïe!» fit une petite voix.
Loretta se leva d'un bond et regarda
autour d'elle.
Personne. Pourtant quelqu'un avait
crié «Aïe!». Loretta en était sûre
et certaine!

Elle tendit l'oreille. Pas un bruit
dans le jardin. Juste les abeilles
qui bourdonnaient.

«J'ai dû rêver», marmonna-t-elle
en se rasseyant.

«Aïe! Mais fais attention!» C'était
la même petite voix. Oh! À côté de
Loretta il y avait une autre petite fille!

«C'est toi qui as dit aïe?» demanda
Loretta.

«Oui, dit la petite fille, tu crois
que c'est agréable quand tu t'assieds
sur moi?»

«Moi? Mais il n'y avait personne
sur le banc!»

«Si. Tu ne m'as pas vue, c'est tout»,
dit la petite fille. Puis en baissant
la voix elle ajouta: «Parce que parfois,
je suis invisible!»

«Invisible? Comment ça?» s'étonna
Loretta.
«Tu poses de drôles de questions.
Une fée, c'est parfois invisible, voyons,
tout le monde sait ça! Et je suis
une fée…»
«Une fée?» Loretta se mit à rire.
Une drôle de fée, avec les cheveux
en bataille et un vieux jean!
«Dans mon livre de contes,
elles ne sont pas comme ça, les fées!»

«Et alors? Une fée, c'est une fée»,
dit la petite fille. Loretta secoua
la tête. «Mais les fées, ça n'existe pas!»
«Attends, je vais te le prouver», dit
la petite fille. Elle serra les lèvres,
gonfla les joues et – pffft! –
elle disparut!

Loretta eut beau regarder partout,
elle ne vit la petite fille nulle part.
«Petite fée!» appela-t-elle prudemment.

«Coucou!» répondit une petite voix
quelque part.
Ça alors! Loretta n'en revenait pas.

Puis elle entendit quelque chose
dans le mûrier. C'était la petite fée.
«Tu me crois, maintenant, quand
je te dis que je suis une fée?»
«Mhmm...» Loretta réfléchit. Elle
pensait que les fées, ça n'existait pas...
mais disparaître et apparaître comme
cela, seule une fée pouvait le faire...
«Oui, je te crois», dit-elle.
«Youpi!» s'écria la petite fée.
«Montre-moi tout ce que tu sais
faire!» dit Loretta en battant
des mains.
La petite fée baissa la tête. «Je ne
sais rien faire d'autre... mais quand
je serai grande, je saurai tout faire!»
«Tout? Abracadabra et tout
le reste?» dit Loretta.

La petite fée acquiesça. «Oui, tout!
Mais les grandes fées disent qu'il vaut
mieux que je ne sache pas tout faire,
sinon je ne ferais que des bêtises...
J'aimerais tellement voler par exemple

Elles disent aussi que pour devenir
une grande fée il faut que j'apprenne
un tas de choses.»
«Quel genre de choses?» demanda
Loretta.
«Aucune idée.» La petite fille
se laissa tomber dans l'herbe,
visiblement découragée.

«La reine des fées m'a dit que c'était
à moi de trouver quelles sont
ces choses.»
La petite fée soupira. «Je ne serai
jamais une grande fée... à moins que
tu ne m'aides?»

La soupe de grand-père

Loretta voulait bien l'aider.
Mais que faut-il apprendre pour
devenir une grande fée? Loretta
réfléchit. «Ça y est, je sais! Tu dois
manger de la soupe!»
«De la soupe?» La petite fée écarquilla
les yeux.
«Oui! Mon grand-père dit toujours
que manger de la soupe fait grandir!»
dit Loretta.
Elles décidèrent aussitôt d'aller chez
le grand-père.

Le grand-père trouva l'idée
amusante et leur fit une soupe aux
lentilles avec des lardons. La petite fée
en reprit quatre fois, ainsi que Loretta.
Mais trop, c'est trop. Elles eurent
terriblement mal au ventre! La petite
fée préféra disparaître et Loretta rentra
chez elle.

Loretta a encore une idée

Le lendemain, elles se retrouvèrent
dans le jardin. La petite fée était assise
dans un pot de fleurs vide.
«Manger de la soupe n'a servi à rien!»
pleurnicha-t-elle.

Loretta réfléchit une nouvelle fois.
Soudain elle s'écria: «Ça y est, je sais!
Tu dois apprendre à lire et à écrire.
Toutes les grandes personnes savent
le faire!»

«Lire et écrire?» dit la petite fée,
incrédule.

«Oui! Ça s'apprend à l'école. Moi,
je sais déjà… enfin presque!»

«Youpi!» s'écria la petite fée en bondissant hors du pot de fleurs.
«Je veux apprendre à lire et à écrire! Emmène-moi à l'école!»
«À l'école? Une fée? Non, c'est impossible!» dit Loretta.
«Pourquoi? Oh, s'il te plaît, emmène-moi à l'école!»

Monsieur Beausoleil

Le lendemain, la petite fée
accompagna Loretta à l'école.
«Bonjour, je m'appelle Fée! dit-elle
à Monsieur Beausoleil, le maître
d'école. Je veux apprendre à lire
et à écrire. Tu veux bien m'aider?»

Monsieur Beausoleil fut très étonné.
Mais en voyant le regard décidé
de cette drôle de petite fille, il accepta.
La petite fée, ravie, s'installa à côté
de Loretta.

Mais les fées, même petites,
apprennent très très vite, et bientôt,
la petite fée sut lire et écrire.
Elle s'ennuyait souvent à l'école,
et un jour – pffft! – elle disparut
au beau milieu d'une dictée.
Monsieur Beausoleil se frotta les yeux.
Incroyable!
Où était passée l'élève Fée? Il chercha
partout, sous le pupitre, derrière
les chaises, personne.
Il alla se rasseoir sur sa chaise,
perplexe.
«Aïe», fit alors une petite voix, ce
qui fit bondir Monsieur Beausoleil.
Toute la classe éclata de rire.

La petite fée était assise sur la chaise
du maître! Monsieur Beausoleil n'y
comprit plus rien. Il voulut gronder
la petite fée, mais elle le regardait
d'une telle façon qu'il continua
la dictée comme si de rien n'était.
La petite fée retourna à sa place
et écrivit avec application.

Le meilleur gâteau
du monde

«Alors, tu es grande à présent?»
demanda Loretta à la petite fée
le lendemain.
«Non, pas encore...» dit la petite fée.

Elle se balançait sans entrain sous
le poirier du grand-père.
«Mais tu sais lire et écrire... et bien
mieux que moi!» dit Loretta.
«Les grandes fées m'ont félicitée,
mais elles ont dit que cela ne suffisait
toujours pas.»

«Mais que devrais-tu savoir de plus?
Faire un gâteau peut-être?»
«FAIRE un gâteau? Comment ça?»
Loretta n'en crut pas ses oreilles:
la petite fée ne savait pas
que l'on pouvait faire un gâteau!
«Ma maman sait faire le meilleur
gâteau du monde. Avec des pépites
de chocolat... mhmmm... un délice»,
dit Loretta.
«Et elle est grande, ta maman?»
«Quelle question, bien sûr
qu'elle est grande! Une maman,
c'est toujours grand!»
«Youpi! La petite fée fit un grand
bond. Alors il faut sûrement
que j'apprenne à faire un gâteau!
Et alors je serai enfin une grande fée.»

«Qui saura tout faire! ajouta
Loretta. De la magie, exaucer
des vœux...»
«Se transformer en papillon...
Youpi!» – pffft! – Loretta ne vit plus
la petite fée. Où était-elle passée?

Puis elle entendit une petite voix:
«Dis, tu crois que ta maman me
montrera comment faire un gâteau?»
«Bien sûr!» dit Loretta.
«Mais pour cela il vaudrait mieux
que tu sois visible.»

«Maman, je te présente Fée,
ma nouvelle amie!» cria Loretta
en se précipitant dans la chambre
de sa maman.
«Pourrais-tu lui montrer comment
on fait un gâteau au chocolat?»
«Pourquoi pas?» dit la maman.
Ça ne sera pas triste, se dit
Loretta en voyant briller
les yeux de la petite fée.

Quelques instants plus tard,
la petite fée tenait dans ses mains
le batteur électrique.
Elle ne semblait pas très rassurée.
«Tiens-le bien droit», dit la maman.
Puis elle mit l'appareil en marche.
Aïe! Aïe! Aïe! Quel bruit! Quelles
étincelles!

L'appareil s'emballa comme
un cheval fou et la pâte se mit
à gicler dans toutes les directions.
De frayeur, la petite fée avait lâché
l'appareil! La maman débrancha tout.
Loretta enleva des morceaux de pâte
collés à ses yeux.
Où était la petite fée?
«Coucou…», fit une toute petite voix.
Cela venait du plafond.
La petite fée s'était réfugiée
sur la lampe.
«Je veux descendre, aidez-moi!»
dit-elle.
La maman ouvrit grand ses bras
et la petite fée s'y laissa glisser.

«Nous allons quand même le
terminer, ce gâteau!» décida la maman.
Dans le bol, il ne restait qu'un tout
petit peu de pâte.
La maman reprit de la farine,
du beurre, du sucre, des œufs,
de la vanille et trois poignées
de pépites de chocolat.

La petite fée mélangea le tout mais
avec une cuillère en bois cette fois-ci.
Et cela devint un gâteau délicieux.
Loretta, la petite fée et la maman
le mangèrent au goûter.
La poupée Annabelle en reçut
les miettes.

Loretta est très en colère

Le lendemain, Loretta se rendit
au jardin tout de suite après l'école.
Elle attendit la petite fée
avec impatience. Mais personne ne vint.
«Peut-être est-elle devenue grande
comme ma maman...», chuchota-t-elle
à l'oreille d'Annabelle.
«Peut-être ne reviendra-t-elle plus!»
Au même instant, la petite fée apparut.
Elle avait toujours les cheveux
en bataille et un vieux jean... et elle
n'était pas plus grande qu'avant!

«Ça n'a pas suffi?» demanda
Loretta.
«Non, pas encore!» soupira
la petite fée.
«Mais tu as mangé de la soupe,
tu sais lire et écrire et faire le meilleur
gâteau du monde!»

«C'est bien, mais cela ne suffit pas, m'ont dit les grandes fées.»
Loretta fronça les sourcils.
«Je me demande ce que tu pourrais encore apprendre!» dit-elle.
La petite fée se mit à pleurer.
«Ne pleure pas, dit Loretta, parce que si tu pleures, Annabelle va se mettre à pleurer, et moi aussi!»
«Bouhouu…»
«Bou-houuh!!!»

Marie jouait tranquillement dans le jardin voisin lorsqu'elle entendit ce concert de pleurs. Elle regarda par-dessus la clôture et vit Loretta et une autre petite fille sangloter sur le banc. Elle escalada la clôture et s'approcha des deux pleureuses.
«Que se passe-t-il?» demanda Marie doucement.

Loretta cessa aussitôt de pleurer.
«Ça ne te regarde pas!» dit-elle
brusquement.
«Mais... je peux peut-être vous
aider?» dit Marie d'une petite voix.
«Toi, nous aider? Jamais de la vie!
Et puis d'abord, c'est mon jardin!»
Marie ne dit plus rien.
«Eh! Pourquoi tu te fâches comme
ça?» dit la petite fée à Loretta.

«Parce qu'elle est bête comme
ses pieds!
Va-t-en!» cria-t-elle à Marie.
Ce fut au tour de Marie de pleurer.
Pourquoi Loretta était-elle aussi
méchante avec elle?
Elle retourna dans son jardin, les yeux
remplis de larmes.

«Attends!» s'écria la petite fée
en essayant de la rattraper.
«Je ne te chasse pas, moi!
Et si on jouait à cache-cache?»
Marie se retourna. Oh oui, elle
jouerait volontiers à cache-cache!
Elle fit oui de la tête.
«Youpi!» dit la petite fée.
Puis elle prit Annabelle et la donna
à Marie.

«Ah non!» cria Loretta.
«Rends-moi ma poupée!»
Elle arracha la poupée des mains
de Marie et partit, très en colère.
«Loretta! cria la petite fée, tu n'es
vraiment pas sympa! Viens jouer
avec nous!»
Sans se retourner Loretta répondit:
«Pas question! Pas avec cette dinde!»

Marie n'est plus seule

À partir de ce jour-là, Marie
et la petite fée jouèrent ensemble.
Dans le jardin de Marie,
elles construisirent une cabane
avec des branches et des draps.
Marie était madame Pamplemine,
et la petite fée, monsieur Tartillon.
Madame Pamplemine montra
à monsieur Tartillon comment faire
un nœud de cravate. Monsieur
Tartillon apprit à madame Pamplemine
à faire des culbutes en arrière.
«Si seulement Loretta jouait avec
nous!» disait parfois Marie.
«C'est tant pis pour elle, dit la petite
fée, mais tu verras, elle reviendra
bientôt.»
En effet, Loretta revint bientôt.

Elle guetta tout d'abord par-dessus
la clôture. Puis, elle jeta Annabelle
dans le jardin de Marie.
«C'est pour Marie?» demanda aussitôt
la petite fée.
Loretta voulut dire non, mais,
c'est drôle, elle s'entendit
dire oui!

«Ah... enfin!» dit la petite fée.
Loretta escalada la clôture
et s'approcha de Marie.
«Tu sais, l'autre jour, j'ai dit ça
parce que j'étais très en colère,
dit-elle. Et puis, parce que je voulais
la petite fée pour moi toute seule...»
Marie lui sourit.

Petite fée deviendra grande

Maintenant, Loretta, la petite fée
et Marie jouaient de longs après-midi
ensemble.
Loretta était la maman, et Annabelle,
le bébé. Marie était le papa, et la petite
fée le docteur car Annabelle avait
la rougeole. Ce fut un été merveilleux.

Mais un soir, il se passa quelque
chose d'extraordinaire.
La petite fée disparut comme elle
le faisait souvent mais lorsqu'elle
réapparut, elle n'était plus la même.
Elle était devenue une belle et grande
fée, toute de fleurs vêtue!

«Oh! Petite fée! dit Loretta, es-tu
grande à présent?»
La petite fée répondit par de grands
signes joyeux et disparut, laissant à sa
place de beaux papillons
multicolores...
«Je crois que la petite fée est une vraie
fée à présent, dit Loretta à Marie. Elle
a mangé beaucoup de soupe, elle a
appris à lire et à écrire, elle sait faire
un gâteau...»
«Mais cela n'avait pas suffi!» dit
Marie.
«C'est vrai... qu'a-t-elle donc encore
fait d'exceptionnel?»
Loretta réfléchit. Il manquait
une chose, mais laquelle?

«Ça y est, je sais!» s'écria Loretta.
«Quoi donc?» demanda Marie.
«Grâce à elle, nous sommes
devenues des amies, toi et moi», dit
Loretta.
«C'est vrai, dit Marie songeuse,
et ça, ce n'était pas du gâteau!»
Et elles éclatèrent de rire.

À propos de l'illustratrice

Christa Unzner est née en 1958 près de Berlin, en Allemagne. Elle voulait devenir danseuse classique, mais après avoir étudié le graphisme, elle a travaillé dans une agence de publicité. Un jour, elle présente des illustrations à un concours et gagne le troisième prix.

Depuis 1982, elle travaille comme illustratrice de livres pour enfants.

Elle aime les contes de fées et «Alice au Pays des Merveilles». Christa Unzner vit dans la banlieue de Berlin.

À propos de l'auteur

Gerda Marie Scheidl est née à Bremerhaven, en Allemagne. Après avoir suivi des cours de danse – à Vienne – et d'Art dramatique, elle a été tout de suite engagée comme danseuse.
Elle a ensuite dirigé un petit théâtre pour enfants, en assurait la régie, créait les décors et les costumes, et écrivait les pièces. Plus tard, elle s'est mise à écrire des contes et des livres pour les enfants. Elle aime leur raconter des histoires, et quand elle leur lit ses livres à haute voix, à chaque fois, c'est comme s'ils assistaient à une petite représentation théâtrale.

C'est moi qui lis

Sont parus dans la collection «C'est moi qui lis»:

1 – Burny Bos / Hans de Beer
**La famille Taupe-Tatin –
Ce n'est pas de la tarte!**

2 – Marianne Busser / Ron Schröder /
Hans de Beer
Papa Vapeur et la camionnette rouge

3 – Wolfram Hänel / Christa Unzner
Romuald et Julienne

4 – Gerda Wagener / Uli Waas
Il faut sauver la souris!

5 – Krista Ruepp / Ulrike Heyne
Le cavalier de la nuit

6 – Ingrid Uebe / Alex de Wolf
Mélinda et la Sorcière des mers

7 – Burny Bos / Hans de Beer
**La famille Taupe-Tatin –
Tout va bien!**

8 – Ursel Scheffler / Iskender Gider
Rinaldo fait les 400 coups

9 – Uli Waas
Lola a disparu

10 – Wolfram Hänel /
Christa Unzner
**Anna Nas, une nouvelle
pas comme les autres**

11 – Walter Kreye /
Jean-Pierre Corderoc'h
Le paysan et les brigands

12 – Marianne Busser /
Ron Schröder / Hans de Beer
Le roi Bedon

13 – Wolfram Hänel / Alex de Wolf
Benjamin s'est égaré

14 – Hermann Krekeler / Marlies
Rieper-Bastian
Jacquobarjoville

15 – Wolfram Hänel / Alan Marks
Balade irlandaise

16 – Burny Bos / Hans de Beer
**Famille Taupe-Tatin –
Toujours plus haut!**

17 – Gerda Marie Scheidl /
Christa Unzner
Loretta et la petite Fée

18 – Wolfram Hänel /
Jean-Pierre Corderoc'h
L'ours et le pêcheur

19 – Wolfram Hänel /
Jean-Pierre Corderoc'h
La famille ours

20 – Ursel Scheffler / Iskender Gider
Rinaldo fait encore des siennes

21 – Jürgen Lassig / Uli Waas
À la recherche de Nino-Dino

22 – Wolfram Hänel /
Kirsten Höcker
Mia, le petit chat de la plage

23 – Hermann Krekeler /
Marlies Rieper Bastian
Colin-Maillard à Jacquobarjoville

24 – Wolfram Hänel /
Alex de Wolf
**Laura et le Dinosaure
couleur d'arc-en-ciel**